GW01003749

MME BAVARDE
et la grenouille

Collection
MONSIEUR MADAME PAILLETTES

MME BAVARDE
et la grenouille

Roger Hargreaves

Écrit et illustré par Adam Hargreaves

hachette
JEUNESSE

Comme tu le sais certainement,
madame Bavarde adorait bavarder.

Elle pouvait bavarder toute la journée…
sans s'arrêter, sans jamais prendre une pause…,
jusqu'à ce que ses vaches rentront dans leur enclos…

… aillent se coucher…

... et se réveillent le lendemain matin.

Et tu te doutes bien que ces bavardages incessants énervaient beaucoup de monde.

Et en particulier certaines personnes.

Comme par exemple madame Autoritaire,
qui croisa un soir madame Bavarde
devant le bureau de poste.

– Bonjour, madame Autoritaire, commença madame Bavarde. Enfin… BON-JOUR n'est peut-être pas le mot le plus approprié avec toute cette pluie qui est tombée et qui tombe encore au moment où nous discutons… Nous allons être trempées mais j'étais si heureuse de vous rencontrer que je n'ai pas pu m'empêcher de m'arrêter pour vous dire « Bonjour ! » bien que, comme je vous le disais, BON-JOUR ne soit pas le terme le plus approprié…

– Taisez-vous ! hurla madame Autoritaire en s'enfuyant dans la rue.

Les bavardages de madame Bavarde énervaient
aussi monsieur Mal Élevé qui, un jour, précédait
madame Bavarde dans la queue, chez le boucher.

– Je dois vous féliciter monsieur le boucher !
Vous avez une magnifique vitrine, dit-elle.
Cela doit vous prendre un temps fou de préparer
tout ça. À quelle heure vous levez-vous le matin ?
Très tôt, non ? Moi, je me lève très tôt mais
à mon avis, vous vous levez plus tôt que moi.
Je suis sûre que vous prenez des saucisses
au petit déjeuner. Moi, j'avale un bol de…

– On s'en moque ! s'écria monsieur Mal Élevé
en quittant précipitamment la boutique.

Pauvre madame Bavarde !
Ce n'est pas très agréable d'être envoyée
sur les roses quand on veut juste entamer
une petite conversation polie avec quelqu'un.

Parfois, cela la rendait triste et elle partait
alors faire un tour dans la forêt.

Un jour, alors que, justement, elle se promenait
et se parlait à elle-même, elle arriva près d'un étang
où elle aperçut une grenouille sur un nénuphar.
Elle décida de s'arrêter un moment.

– Quel bel endroit ensoleillé, n'est-ce pas,
chère grenouille ? Quelle chance vous avez
d'être une grenouille et que personne ne vous dise
de vous taire, dit-elle à l'animal. Comme personne
ne veut m'écouter, je vais discuter avec vous.

Et c'est ce qu'elle fit.

Elle parla pendant des heures à la grenouille
et lui ouvrit son cœur.

Pauvre madame Bavarde !

Et pendant tout ce temps, la grenouille resta immobile
sur son nénuphar à la regarder.

Enfin, madame Bavarde s'arrêta de parler
pour reprendre son souffle.

– Quelle triste histoire ! dit alors la grenouille.

Dit la grenouille ? La grenouille pouvait donc parler ?

Madame Bavarde n'en crut pas ses oreilles.

– Une… gre… grenouille… qui parle ?
bredouilla-t-elle.

La grenouille rayonnait de bonheur.

– C'est agréable de rencontrer quelqu'un qui aime tant parler, dit-elle.

Madame Bavarde et la grenouille eurent une magnifique conversation. Elles parlèrent de tout et de rien jusqu'à ce qu'il soit l'heure de rentrer pour madame Bavarde.

– Est-ce que je peux revenir demain ? demanda-t-elle.

– Oui, j'aimerais beaucoup ! répondit la grenouille.

Et elle revint le lendemain et le surlendemain et les jours qui suivirent.

En fait, elle revint tous les jours.

Un jour, madame Bavarde dit à la grenouille :

– Vous êtes une oreille si attentive que j'aimerais vous embrasser.

Et sans rien dire de plus, elle embrassa la grenouille.

Alors, une chose extraordinaire se produisit.

Un nuage de fumée se forma et la grenouille se transforma… en prince.

Pour la première fois de sa vie, madame Bavarde resta sans voix.

– Merci ! dit le prince. Une méchante sorcière m'avait transformé en grenouille quand j'étais petit parce que j'étais trop bavard. Seul un baiser pouvait briser le sortilège.

Le prince emmena madame Bavarde
dans son royaume où tout le monde l'accueillit
à bras ouverts. Et il fut si reconnaissant
qu'il offrit une place de choix à madame Bavarde
dans son palais.

La place officielle de…

… GRANDE BAVARDE ROYALE !

RÉUNIS VITE LA COLLECTION ENTIÈRE

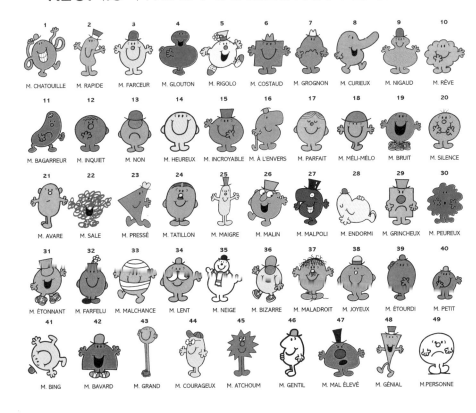

DES **MONSIEUR MADAME**

1 MME AUTORITAIRE
2 MME TÊTE-EN-L'AIR
3 MME RANGE-TOUT
4 MME CATASTROPHE
5 MME ACROBATE
6 MME MAGIE
7 MME PROPRETTE
8 MME INDÉCISE

9 MME PETITE
10 MME TOUT-VA-BIEN
11 MME TINTAMARRE
12 MME TIMIDE
13 MME BOUTE-EN-TRAIN
14 MME CANAILLE
15 MME BEAUTÉ
16 MME SAGE

17 MME DOUBLE
18 MME JE-SAIS-TOUT
19 MME CHANCE
20 MME PRUDENTE
21 MME BOULOT
22 MME GÉNIALE
23 MME OUI
24 MME POURQUOI
25 MME COQUETTE

26 MME CONTRAIRE
27 MME TÊTUE
28 MME EN RETARD
29 MME BAVARDE
30 MME FOLLETTE
31 MME BONHEUR
32 MME VEDETTE
33 MME VITE-FAIT

34 MME CASSE-PIEDS
35 MME DODUE
36 MME RISETTE
37 MME CHIPIE
38 MME FARCEUSE
39 MME MALCHANCE
40 MME TERREUR
41 MME PRINCESSE
42 MME CÂLIN

Traduction : Anne Marchand Kalicky.

Édité par Hachette Livre – 58 rue Jean Bleuzen, 92178 Vanves Cedex
Dépôt légal : août 2014
Loi n°49-956 du 16 juillet 1949 sur les publications destinées la jeunesse.
Achevé d'imprimer par Canale en Roumanie.